Este libro
pertenece a:

_____

PONGO Y PERDITA

PONGO & PERDITA

PROTAGONISTAS
STARRING

ROGELIO Y ANITA

RADCLIFF

ROGER & ANITA

RADCLIFFE

CRUELA DE VIL

CRUELLA DE VIL

LOS CACHORROS

THE PUPPIES

Este es un libro Parragon Publishing
Primera edición en 2007

Parragon
Queen Street House
4 Queen Street
BATH, BA1 1HE, UK

Traducción de Marina Bendersky para Equipo de Edición S.L.

ISBN 978-1-4075-0434-6
Impreso en China

Disney
101
DÁLMATAS

PaRragon

Bath New York Singapore Hong Kong Cologne Delhi Melbourne

Rogelio y Anita Radcliff vivían en Londres. Ellos tenían dos Dálmatas llamados Pongo y Perdita.

Perdita estaba por tener sus primeros cachorros. Una vieja compañera de Anita llamada Cruela De Vil apareció en la casa de visita.

Roger and Anita Radcliffe lived in London. They had two pet Dalmatians called Pongo and Perdita.

Perdita was expecting her first puppies. Anita's friend Cruella De Vil came to visit.

"¿Dónde están los cachorros?", exigió Cruela.

"Nacerán dentro de tres semanas", respondió Anita.

"Deben avisarme cuando nazcan", dijo Cruela. "Adoro los cachorros Dálmatas".

———————————

"Where are they?" Cruella asked about the puppies.

"It'll be three weeks," said Anita.

"Let me know when the puppies arrive," said Cruella. "I adore Dalmatian puppies."

Tres semanas más tarde, Perdita y Pongo se convirtieron en los padres orgullosos de quince cachorritos. Rogelio, Anita y Nanny, la empleada, estaban muy contentos.

———————————

Three weeks later, Perdita and Pongo became the proud parents of fifteen puppies. Roger, Anita, and Nanny, the housekeeper, were delighted.

Entonces apareció Cruela. Ella deseaba comprar los cachorros.

"No están a la venta", dijo Rogelio.

"¡Tontos! ¡Se arrepentirán!", gritó Cruela. Entonces envió a dos rufianes llamados Horacio y Gaspar a secuestrar a los cachorros.

————————

Cruella wanted to buy all the puppies.

"We're not selling the puppies," said Roger. "Not a single one."

"You fools! You'll be sorry!" Cruella shouted. She sent her henchmen, Horace and Jasper Badun, to dognap the puppies.

Mientras Rogelio y Anita paseaban con Pongo y Perdita, ¡los villanos robaron los cachorros!

La policía investigó, pero no pudo encontrar a los perritos.

"Debemos encontrarlos nosotros", dijo Pongo.

Pongo decidió intentar con el Ladrido del Anochecer. Era la forma más rápida que tenían los perros para enviar y recibir noticias.

———————————

While Roger and Anita were out with Pongo and Perdita, the Baduns stole the puppies!

The police investigated, but they could not find them.

"I'm afraid it's all up to us," said Pongo.

Pongo decided to try the Twilight Bark. It was the quickest way for dogs to send and receive news.

Esa noche, Pongo ladró la señal de alerta: tres ladridos y un aullido, desde lo alto de una colina. El Gran Danés de Hampstead respondió y Pongo ladró su mensaje completo.

That evening, Pongo barked the alert—three barks and a howl—from the top of Primrose Hill. The Great Dane at Hampstead answered and Pongo barked out his message.

El Gran Danés se sorprendió al oír el mensaje. "¡Quince cachorros Dálmatas han sido robados!", repitió.

La voz grave del Gran Danés comenzó a regar las noticias por toda la ciudad. Una hora después, toda Inglaterra estaba al tanto de lo sucedido.

La noticia llegó hasta los oídos de un viejo perro pastor llamado Coronel, que vivía en una granja.

Los amigos de el Coronel, un caballo llamado Capitán y un gato llamado Sargento Tibs, también la oyeron.

Danny the Great Dane was very surprised by the message. "Fifteen Dalmatian puppies have been stolen!" he gasped.

Danny's deep voice began to send the news all over London. Within the hour, word had spread all over England.

Soon the Twilight Bark reached an old sheepdog called the Colonel, who lived on a farm.

The Colonel's friends—a horse named Captain and a cat named Tibs—listened too.

"Escuché ladridos que provenían de la vieja mansión De Vil, la otra noche", dijo Tibs.

"¡Pero nadie ha vivido allí por años!", dijo el Coronel.

———————

"I heard barking at the old De Vil house last night," said Tibs.

"No one's lived there for years!" said the Colonel.

El Coronel y Tibs fueron a la casa y se asomaron por una ventana rota. Horacio y Gaspar estaban allí viendo la televisión. ¡Y había noventa y nueve cachorros en la habitación!

———————————

The Colonel and Tibs went to the house and peered through a broken window. Horace and Jasper Badun were watching television. There were ninety-nine puppies in the room!

El Coronel regresó al establo de Capitán y envió a Londres el mensaje: los cachorros habían sido hallados. Perdita y Pongo corrieron por la nieve para rescatar a sus cachorritos.

El Sargento Tibs, entretanto, vio llegar a Cruela. ¡Ella ordenó a los rufianes que mataran a los perritos!

"¡Quiero sus pieles para hacerme un abrigo!", chilló. "Regresaré mañana a primera hora."

Y entonces se fue.

The Colonel went back to Captain's stable and sent the message to London that the puppies had been found. Perdita and Pongo set off through the snow to rescue their puppies.

Sergeant Tibs saw Cruella drive up. She ordered the Baduns to kill the puppies so she could make coats out of them!

"It's got to be done tonight! Do you understand? Tonight!" Then she left.

No había tiempo que perder. Cuando los villanos volvieron a entretenerse con la televisión, Tibs entró por la ventana y les susurró a los perritos: "¡Oye, chicos! Mejor se van de aquí si quieren salvar sus pieles!"

There wasn't a moment to lose. When the Baduns started watching television again, Tibs crept through the window and whispered to the puppies, "Hey, kids! You'd better get out of here if you want to save your skins."

Tibs los ayudó a huir de la casa.

———————————

Tibs helped the puppies hide.

Pero los rufianes hallaron a los cachorros encogidos bajo
la escalera. Tibs estaba al frente, listo para protegerlos.

But the Baduns found the puppies cowering under the stairs. Tibs
was in front, ready to protect them.

Mientras tanto, el Coronel se había encontrado con Perdita y Pongo. ¡Ellos llegaron justo a tiempo! Perdita atacó a Horacio, mientras Pongo jalaba de los pantalones de Gaspar.

Tibs llevó a los cachorros al establo de Capitán.

Meanwhile, the Colonel had met up with Perdita and Pongo. They arrived just in the nick of time! Perdita attacked Horace, while Pongo tore at Jasper's pants.

Tibs led the puppies to Captain's stable.

Perdita y Pongo corrieron tras los pequeños.

"¿Están los quince allí dentro?", preguntó Perdita.

¡Pero había muchos más que quince!

———————

Perdita and Pongo dashed after the puppies.

Perdita checked to see if her fifteen puppies were there.

But there were a lot more than fifteen!

¡Eran noventa y nueve cachorros!

"Cruela quiere hacer tapados de piel con nosotros", explicó un perrito.

Perdita y Pongo nunca habían oído algo tan siniestro.

"Tendremos que llevarnos a todos a Londres con nosotros", dijo Perdita.

———————————

There were ninety-nine puppies!

"Cruella was going to make fur coats out of us," said one puppy.

Perdita and Pongo had never heard of anything so evil.

Perdita and Pongo decided to take all the puppies home with them.

Cuando Cruela regresó a buscar las pieles de los cachorros, vio sus huellas en la nieve. ¡La persecución comenzó!

When Cruella returned for the puppies' coats, she saw their paw prints in the snow. The chase began!

Luego de correr por la nieve, los perritos estaban exhaustos. De repente, Pongo tuvo una idea. Hizo que los cachorros se revolcaran en hollín hasta que se vieron como Labradores negros. ¡Estaban disfrazados!

———————————

After racing through the cold, the puppies were tired out. Suddenly, Pongo had an idea. He made the puppies roll in some soot until they all looked like black Labradors. They were disguised!

Los perros subieron a un camión que iba para Londres. Pero los copos de nieve lavaron el hollín de algunos cachorros.

Al verlos, Cruela se dio cuenta de que había sido engañada. "¡Tras ellos!", les gritó a sus secuaces.

———————————

The puppies climbed into a truck that was going to London. But the snowflakes washed away the soot.

Cruella realized that she had been tricked. "After them!" she shouted to the Baduns.

Cruela intentó sacar al camión del camino,
pero fue su auto el que perdió el control.
¡Y en ese momento el vehículo de los
rufianes chocó contra el de Cruela!

Cruella tried to force the truck off the road.
But her car skidded out of control.
Then the Baduns' truck crashed into
the back of Cruella's car!

De regreso en Londres, Rogelio, Anita y Nanny recibieron felices a los cachorros.

"¡101 Dálmatas!", exclamó Rogelio.

"¿Qué haremos con tantos perritos?", preguntó Anita.

"Quedarnos con ellos, por supuesto", dijo Rogelio. "¡Compraremos una casa grande y tendremos una Plantación de Dálmatas!"

¡Y eso fue exactamente lo que hicieron!

Back in London, Roger, Anita, and Nanny hugged the puppies.

"A hundred and one!" Roger gasped.

"What'll we do with them?" asked Anita.

"We'll keep them," said Roger. "We'll have a plantation. A Dalmatian Plantation!"

And that's exactly what they did!